St. Helena Library
1492 Library Lane
St. Helena, CA 94574
(707) 963-5244

Risoterapia

YVES-ALEXANDRE THALMANN

Risoterapia

Mejora tu vida gracias a la risa

y al buen humor

EDICIONES OBELISCO

Si este libro le ha interesado y desea que le mantengamos informado
de nuestras publicaciones, escríbanos indicándonos qué temas son de su interés
(Astrología, Autoayuda, Ciencias Ocultas, Artes Marciales, Naturismo, Espiritualidad,
Tradición…) y gustosamente le complaceremos.

Puede consultar nuestro catálogo en www.edicionesobelisco.com

Colección Salud y Vida natural
Risoterapia
Yves-Alexandre Thalmann

1.ª edición: febrero de 2017

Título original: *Rigolothèrapie*
Traducción: *Pilar Guerrero*
Maquetación: *Marga Benavides*
Corrección: *M.ª Ángeles Olivera*
Diseño de cubierta: *Enrique Iborra*

© 2014, Éditions Jouvence S.A.
Chemin due Guillon, 20, Case 143 CH-1233 Bernex - Suiza
www.editions-jouvence.com
(Reservados todos los derechos)
© 2017, Ediciones Obelisco, S. L.
(Reservados los derechos para la presente edición)

Edita: Ediciones Obelisco, S. L.
Collita, 23-25 Pol. Ind. Molí de la Bastida
08191 Rubí – Barcelona – España
Tel. 93 309 85 25 – Fax 93 309 85 23
E-mail: info@edicionesobelisco.com

ISBN: 978-84-9111-185-6
Depósito Legal: B-1.413-2017

Printed in Spain

Impreso en España en los talleres gráficos de Romanyà/Valls S. A.
Verdaguer, 1 – 08786 Capellades (Barcelona)

A Corinne y Frédéric,
risólogos que hacen reír
pero de los que no hay que reírse
porque son humanos y generosos,
personas extraordinarias que saben
sembrar la felicidad a su alrededor.

Introducción

Este libro te hará reír. No porque esté lleno de historias divertidas, sino porque pretende ser una guía para enseñarte a reír más a menudo y echar mano del bueno humor cuando te parezca oportuno. Para conseguirlo, este libro está lleno de atajos de risa y humor bajo la vertiente de la psicología positiva, que ponen de manifiesto los numerosos efectos favorables de las carcajadas, tanto para la salud como para el bienestar y la felicidad.

No a todo el mundo le resulta fácil desternillarse de risa. La educación deja sus huellas en todos nosotros: hay que ser serio en esta vida. Se trata, por tanto, de reconciliarse con el universo de la alegría y la sonrisa, dándose un paseo por el lado cómico e hilarante de las cosas. Estas dos aproximaciones, más allá de que tienen el mismo objetivo (que es hacer reír), difieren en cuanto a sus métodos y finalidad. Donde el humor se torna en burla, la risoterapia empuja a los corazones a que desencadenen un humor sano que se pueda compartir con todos. Es la diferencia entre reírse de y reírse con.

Una vez recuperada la capacidad para reír, esta obra se centra en desarrollar *facilitadores* de la risa, es decir, métodos destinados a desencadenar el buen humor a voluntad, gracias a la imaginación. Dichos métodos se inspiran en fantasías sexuales, no por su contenido erótico, sino por su arquitectura específica: escenarios imaginarios reutilizables a voluntad sin que pierdan eficacia, para reírse en el presente. Del mismo modo que una fantasía erótica puede ser activada en nuestra mente para aumentar la excitación sexual, hay escenarios imaginarios divertidos que pueden emplearse para activar la risa. Constituyen excelentes complementos para las técnicas que se enseñan en el ámbito del yoga de la risa.

Las fantasías hilarantes tienen el objetivo de hacer reír. Pero también pueden utilizarse para reducir el sufrimiento producido por el pensamiento mórbido que acecha a nuestra mente. Lo mismo que un escenario puede construirse para generar una sonrisa, la angustia y el sufrimiento también son el resultado de una cadena de pensamientos ¿involuntarios? Esta toma de conciencia ofrece un medio formidable para cambiar tu vida radicalmente.

Saber utilizar la imaginación para atraer la alegría y la felicidad, en lugar de las penas y el dolor, es el objetivo de este librito. ¡Con sonoras carcajadas, espero!

¡Sin cachondeo!

1

¿Cuándo fue la última vez que te reíste?

Reírse de corazón, es bueno para el corazón

Los beneficios de la risa y de la alegría no necesitan demostración. En la actualidad existe un amplio consenso en la comunidad científica en cuanto a los efectos positivos del buen humor y de su expresión a través de la sonrisa y la carcajada. Por eso hay payasos que visitan regularmente los hospitales para hacer reír a los niños, que los esperan con impaciencia como una bocanada de relax y distracción en su aburrido día de pacientes hospitalizados. No sólo éstos aportan un toque de ensueño, un paréntesis que es bienvenido en un contexto grave de cuidados sanitarios, sino que también estos profesionales contribuyen a la curación. Los procesos curativos parecen verse dinamizados por este aporte –o transfusión, por hacer un juego de palabras que viene al caso– de buen humor.

> *Los beneficios de la risa y la alegría*
> *no necesitan demostración.*

Reír es bueno para la salud del cuerpo y del alma. Numerosos libros hablan de ello, muchos de ellos escritos por médicos que intentan hacer avanzar la causa de la alegría como agente terapéutico. Pensemos en la obra del conocido doctor Henri Rubinstein, *Psicosomática de la risa*, publicado por F.C.E., o en el trabajo del padre fundador de los clubes de la risa, el doctor Madan Kataria.[1] Hay tanta bibliografía al respecto que hacer una revisión exhaustiva superaría el marco de este libro y, además, estas obras ya han sido censadas por otras personas.[2]

Desde hace algunos años, la psicología positiva –disciplina científica que estudia la felicidad– ha contribuido también a la documentación de los beneficios de las emociones agradables y de la risa. En la actualidad, nadie puede negar sus efectos positivos, tanto para la mente como para el organismo en general. ¡Reír es bueno, es un hecho establecido!

Entonces, ¿por qué la risa no está más presente en nuestra sociedad? ¿Por qué juzgamos como bueno esconderla, inhibirla, e incluso prohibirla? De hecho, la risa es mal valorada en muchos contextos. ¿Cómo se interpretaría una buena carcajada en una reunión de trabajo, simplemente

---

1. Madan Kataria, *Laugh for no reason*, Madhuri International, 1999.
2. Corinne Cosseron, *Remettre du rire dans sa vie, La rigologie, mode d'emploi*, Robert Laffont, 2009.

porque un colega que ha tomado la palabra ha utilizado una expresión cómica o un gesto ridículo? ¡Sin duda todos pensarían que nos estamos burlando del compañero!

Como simple recordatorio,[3] entre otras cosas, parece que la risa:

- tiene efectos positivos sobre el estrés, la ansiedad, los problemas derivados de la angustia (fobias), los problemas con el estado de ánimo (depresión) y el insomnio;
- contribuye a la eficacia del sistema inmunitario y aumenta la resistencia frente a las infecciones;
- permite disminuir los riesgos de enfermedades cardiovasculares y redice la presión arterial;
- mejora la digestión gracias al masaje de órganos internos que producen las contracciones del diafragma;
- descontractura;
- dinamiza la creatividad;
- favorece las relaciones sociales y aumenta su fluidez y su calidad.

¿Qué se piensa de una persona que tiene un ataque de risa tonta durante un episodio solemne, la entrega de un diploma, un entierro o una boda? ¡Que no se sabe comportar y que su actuación es completamente inadecuada! Sólo está

---

3. *Ibídem,* págs. 123-174.

bien visto reír en sociedad en el marco adecuado: en un espectáculo cómico o en las veladas recreativas con los amigos.

¿Cómo hemos llegado a esto? ¿Por qué la risa, siendo tan sana, tiene tan mala prensa? Sin duda, porque parte de la respuesta tiene una confusión: la desafortunada asociación entre «reírse con» y «reírse de».

Reírse no es reírse de…

Demasiado a menudo la risa se asocia a la burla. Frente a un interlocutor que deja escapar una sonora carcajada, rápidamente nos preguntamos: «¿Qué he dicho que sea ridículo? ¿Qué he hecho mal?». En nuestra mente, la risa está provocada por un comportamiento ridículo o una palabra mal dicha, por alguna cosa que no debería haberse hecho o dicho. Entonces nos sentimos comprometidos, nos sentimos ridículos.

Con esta actitud cometemos un error de interpretación, la de reducir nuestro comportamiento a nuestro ser. No por haber expresado una palabra cómica somos cómicos nosotros mismos. No porque hayamos dicho algo ridículo (si se puede decir que hay palabras ridículas) somos ridículos nosotros mismos.

> ¡Los actos nunca son la persona!

Todos alguna vez hemos metido la pata y pronunciado palabras poco adecuadas en relación con la situación en la que nos encontramos. ¿Y entonces? Si provoca risas, no significa que nuestros interlocutores se burlen de nosotros. El aspecto cómico no proviene forzosamente de algo que hayamos hecho, sino de la asociación entre lo que acaba de pasar y los recuerdos, que no tienen por qué tener demasiado que ver con la situación presente. ¿Por qué echarse café por encima o decir «follar» en lugar de «fallar» en pleno coloquio son elementos susceptibles de provocar estallidos de risa? Como mucho podríamos pensar en desafortunados accidentes... Total, que el pobre compañero se muere de vergüenza y quiere que se lo trague la tierra mientas el auditorio se desternilla, de modo que sólo le queda llegar a una triste conclusión: todo el mundo se cachondea de él.

La risa proviene, en efecto, de elementos divertidos, absurdos, e incluso ridículos, que detectamos en la realidad. Pero es el aspecto incongruente con el que nos encontramos, el sinsentido, lo que nos choca. Los cómicos profesionales utilizan con mucho talento esos desfases para ponerlos de manifiesto, amplificarlos y revelar todo su potencial hilarante. Es cierto que los humoristas le dan la vuelta a todo hasta que resulta ridículo. ¡Pero eso no significa que lo seamos!

Las personas adeptas al cinismo y al sarcasmo suelen utilizar la burla y la ironía para atacar a los demás. Sus bromas no son inocentes y sus víctimas no suelen reírse sinceramente. Con esas puyas disfrazadas de humor pican, rebajan, demuestran su supuesta superioridad. ¿Para qué desnaturalizar la risa? Por desgracia, fomentan la idea de que la risa es sinónimo de burla...

En realidad, todo puede ser pretexto para reír, sin tener por qué burlarse de nadie. Reírse de las cosas es una forma ligera de considerar el mundo que nos rodea y sus episodios, de quitar hierro y dramatismo a cosas que podrían hundirnos en la miseria. Reír es una forma de considerar las cosas, no es un acto arrogante ni de menosprecio con vistas a burlarse de alguien ni a humillarlo. Pensemos en los niños, porque éstos saben reírse de todo lo que les pasa sin ninguna razón particular para hacerlo.

Sonreír a los ángeles

Los niños saben reír. ¡No necesitan ningún aprendizaje! Sonreír a los ángeles es una bonita expresión francesa que explica las sonrisas espontáneas de los bebés a las pocas semanas de vida. Todos los signos de la alegría son visibles hasta el punto de que los adultos también acaban respondiendo a una carita tan contenta.

Los niños mantienen durante algunos años esa capacidad para maravillarse con las cosas simples. Basta con escuchar el jaleo de un grupo de niños jugando: ¡todo son gritos y carcajadas! ¿Provocadas por qué? Por nada en particular y por todo en general: caídas, gestos, juegos, etc. Todo es motivo de risa a esas edades.

Pero los adultos no ven las cosas del mismo modo. «¡No hay que burlarse de los demás!». Y, sobre todo, no hay que molestar a las personas mayores porque están con cosas serias. Y así, poco a poco, con la educación, los niños inhiben su capacidad natural para reír y divertirse… hasta que se transforman en unos adultos grises y ceñudos.

Con la risa ocurre como con las otras emociones: aprendemos a esconderla, a inhibirla, a contenerla. Es de mala educación explotar de risa, incluso cuando la situación lo justifica: ¿qué pensaría la gente de un actor que grita y se tira al suelo haciendo la croqueta durante la entrega de un Oscar, o de un atleta que comenzara a saltar como un chimpancé cuando le entregan la medalla de oro o de una pareja de recién casados cantando y bailando al salir de la iglesia? No, una ligera sonrisa de circunstancias se percibirá mejor, la alegría contenida queda mejor. ¡No nos sobrepasemos!

> La risa es como el resto de emociones: aprendemos a esconderlas, inhibirlas, contenerlas.

Es triste decirlo, pero se puede constatar: las emociones y su expresión no están bien vistas y hay que aprender a contenerlas, incluso la alegría y la risa. Nos condicionan para ser serios, para controlar nuestros sentimientos y no mostrar demasiado lo que estamos sintiendo por dentro. Otras culturas toleran mejor el desbordamiento emocional, como la gente de Oriente Medio, que grita de dolor y se araña la cara con las atrocidades de la guerra frente a los cuerpos sin vida de sus familiares.

Pero en Europa las emociones deben contenerse. ¿Será por ese motivo que el porcentaje de problemas psíquicos es tan elevado entre la población occidental?

Reventar el pestillo

Cuando volvemos a permitirnos reír sin control, cuando damos rienda suelta a nuestra alegría, es como si se abriera un pestillo en nuestro interior. Un pestillo o un dique. Por eso aparecen otras emociones que han estado retenidas durante mucho tiempo.

Lo chocante en los clubs de la risa[4] es que no sólo se ríe. Otras emociones también están presentes. Porque la risa autoriza el acceso a otros sentimientos. En el momento en que se abre la puerta, puede manifestarse la riqueza de todas las emociones. ¿Puede ser ésta otra razón para desconfiar de la risa? Su aspecto liberador asusta un poco. Si se prefiere rechazar tajantemente algunas emociones perturbadoras, la risa presenta el riesgo de despertar sufrimientos dormidos. Pero ya se sabe: ¡si no te ríes tampoco sufres!

---

4. Se trata de lugares en los que la gente se reúne para reír junta, sin contar chistes, sino practicando ejercicios respiratorios y posturales. Por ejemplo: www.ecolederire.org

> *No reír para no sufrir… un precio muy alto por estar temporalmente en paz.*

En este momento conviene recordar que todas las emociones tienen su razón de ser: señalan que algo importante está a punto de ocurrir en nosotros. La mente es fácilmente influenciable. Puede acostumbrarse a ideas contradictorias, cosa que los manipuladores dominan a la perfección: abusan de alguien, en el más amplio sentido de la palabra, haciéndole creer que es por su bien y que está de acuerdo con ello. Pero si la mente se sumerge en la confusión, las emociones envían un mensaje diferente: ansiedad, cólera, tristeza, etc.

Las emociones surgen de lo que nos ocurre y nos desequilibra. Son reacciones que pueden cortocircuitar la mente o producirse en paralelo a los pensamientos: el miedo señala un peligro o amenaza, la tristeza marca pérdida significativa, la ira nos indica un obstáculo o una injusticia.

Al mismo tiempo que nos proporcionan una información sobre nuestros deseos insatisfechos, las emociones movilizan la energía del cuerpo para que pueda producirse una reacción rápida. Bajo el látigo de una emoción nos vemos obligados a reaccionar, a hacer lo que sea por recuperar el equilibrio perdido. Por ejemplo, si tenemos miedo, vamos a protegernos y ponernos a cubierto lo antes posible.

Este sistema, sin embargo, puede verse alterado: desde las primeras semanas de vida, se nos hace comprender que estos mensajes emocionales no son válidos ni fiables («¡No, no pasa nada! No tengas miedo que no pasa nada»). Así, la mayoría de nosotros hemos aprendido a no fiarnos de nuestras emociones, a enterrarlas lo más profundamente posible. Y a soportar en silencio los ataques contra su integridad…

La risa y la alegría son portadoras intrínsecas de una dimensión de libertad y, por tanto, de liberación. En la risa hay transgresión, como el bufón real que saca punta a todo. Las carcajadas rompen las cadenas de la cárcel interior. Por eso asustan al poder de turno, ya sea religioso, político o de cualquier tipo. Las dictaduras prohíben el humor todo lo que pueden, lo reprimen, lo censuran, si hace falta con sangre. Los integrismos sienten pánico de la risa.

> *Las carcajadas rompen las cadenas de las cárceles interiores.*

Cuando se libera la risa, otras emociones escapan al control que insistimos en ejercer sobre ellas y también se emancipan. Por eso, asistimos a la expresión de la risa y de otro tipo de sentimientos, como podemos ver en los clubes de la risa.

Pero ¿por qué participar en dichos encuentros? ¿No podemos reírnos en casa, en la intimidad, delante de la televisión?

2

La risa amarilla
y el humor negro

Ésta es la historia de dos cazadores que se van al bosque para practicar su deporte favorito. En un momento dado, uno de ellos muestra signos de ahogamiento, empieza a gesticular, se cae al suelo con ruidos guturales inquietantes y, finalmente, deja de moverse. El otro, aterrorizado, toma el móvil y llama a emergencias: «¡Ayúdenme! Estoy en mitad del bosque y creo que mi amigo acaba de morir. ¡Ayúdenme, por favor, no sé qué hacer!». La voz del teléfono intentaba tranquilizar al hombre: «Cálmese, señor. Antes de nada, tenemos que asegurarnos de si su amigo está bien o realmente ha muerto...». En ese momento se escuchó una deflagración: «¡PAM!». El cazador tomó de nuevo el móvil y dijo: «¡Vale, ahora está realmente muerto! ¿Y ahora?».

¿Te has reído? Sin embargo, se trata de una historia tonta, la más tonta del mundo.[5] Fuera bromas: ¡un estudio científico lo afirma! Para localizar la historia más cómica, el profesor de psicología Richard Wiseman realizó, en 2001, un amplio estudio utilizando Internet. Abrió una web en la que los internautas podían colgar sus historias más raras para evaluar el aspecto cómico de lo que colgaban los demás (de «nada divertido» a «muy divertido»). Al final reunió cuarenta mil chistes y más de un millón de historias, escritos, más o menos, por trescientos cincuenta mil participantes de setenta países. La historia de los dos cazadores fue la ganadora absoluta.

Para identificar los mejores chistes, los investigadores consideraron el número de votos «muy divertido» y «divertido» para cada historia (¡las más bestias fueron censuradas!) y así sacaron conclusiones. El episodio de los dos cazadores obtuvo el porcentaje más elevado, con un 55 %, es decir, que 1 persona de cada 10 no lo encontró divertido.

Una conclusión se impone en esta fase: lo que para unos es divertido para otros no tiene gracia y viceversa. El humor parece que es una característica muy personal y no forzosamente extrapolable. Además, es probable que un chiste que provoque carcajadas la primera vez que lo oyes pierda toda su fuerza la segunda o tercera vez que te lo cuentan.

Ahora bien, desde el momento en que estamos convencidos de que la risa es buena para la salud y para el estado anímico, todos queremos desarrollar los medios necesarios para reír más a menudo, sobre todo cuando la sociedad en

---

5. Richard Wiseman, *Petit traité de bizarrologie,* Marabout, 2012.

la que vivimos no se presta a la sonrisa. El recurso del humor es la primera cosa que nos viene a la mente. ¡Y es el mejor medio para hacernos reír! Un análisis detallado de los entresijos de las historias cómicas permite responder negativamente a esta cuestión.

¡Sorpresa!

¿En qué momento el episodio de los cazadores provoca la risa? Sin duda alguna, cuando aparece la metedura de pata del amigo angustiado: asegurarse de que su amigo está muerto consiste en tomarle el pulso, no en pegarle un tiro en la cabeza. En ese momento se percibe la confusión entre asegurarse de que esté muerto y de que sigue con vida. Sólo un idiota puede confundirse de ese modo. Los que están escuchando la historia no se esperan semejante estupidez, les pilla por sorpresa, y es ese efecto sorpresa el que causa hilaridad: porque no se anticipa semejante conclusión, nos pilla desprevenidos y nos partimos de la risa.

> *El efecto sorpresa es el motor cómico de la mayoría de chistes.*

Así, tenemos esta otra historia:

Una mujer joven se pasea cerca de un lago en el Grand Nord. De repente, vio un lobo atrapado en el hielo. Éste le dijo: «¡Anda, guapa, sálvame! En realidad, soy un

príncipe que ha tenido la mala suerte de ser transforma-
do en lobo. Tírame de la cola para sacarme de aquí...».
La joven así lo hizo y sacó al lobo del hielo. Una vez en
tierra firme, el lobo se transformó en un hombre joven y
guapo. Y le dijo a su salvadora: «Muchas gracias bella
dama. Nunca podré agradecerle suficientemente que me
haya salvado, pero... ¿podría soltarme ya la cola?».

Este chiste empieza como un típico cuento de hadas, pero concluye de una forma que nadie se espera. Sin embargo, igual que ocurre con el chiste de los cazadores, una vez que lo has escuchado, se acaba la sorpresa inicial y deja de hacer gracia, pierde drásticamente el efecto cómico. Las historias divertidas hacen gracia cuando se descubren, pero no duran mucho más cuando ya no te preguntas cuál será el final. Una vez descubierta la solución, desaparece el encanto.

¿Saben aquel del tipo que se encontró con un periquito? Fue a la policía a ver qué tenía que hacer con el pájaro. *«¡Llévelo al zoo!», le dijo un agente. A la mañana siguiente, el mismo policía se cruza de nuevo con el tipo, que llevaba al perico en un hombro. «Pero ¿qué hace con el periquito? ¡Le dije que lo llevara al zoo!». Y el tipo le responde: «¡Ya lo hice! Me lo llevé al zoo y nos lo pasamos muy bien. Hoy he pensado en llevarlo al cine, para variar un poco».*
El efecto sorpresa, basado aquí en la confusión del verbo «llevar», funciona bien para hacer el chiste. Pero, una vez entendido, el aspecto cómico disminuye mucho. Por eso, como medida de precaución, muchos chistes empiezan con alguna frase como «saben aquel que...».

Las historias divertidas basadas en la sorpresa son, por así decirlo, de un único uso –*one shot*, que dicen los ingleses–. Sólo nos hacen reír la primera vez. Pero hay una excepción a esta regla: cuando se cuenta el chiste a gente que empieza a reírse antes de escuchar el desenlace. Parece que, en general, hay historias que hacen reír antes de oír la parte realmente cómica del chiste.[6] ¡Siempre que el chiste no se conozca, claro! No es nada agradable empezar un chiste y ver que todos lo conocen ya.

> *Las historias divertidas basadas en el factor sorpresa son, por así decirlo, de un único uso.*

Esta primera constatación permite comprender por qué los chistes no son buenos candidatos para provocar la risa a voluntad. Además, presentan otro inconveniente.

Ridiculizar a otro para valorarse uno mismo

En las historias divertidas –que se asocian, normalmente, con el humor–, el detonante humorístico, más allá de la sorpresa o el absurdo de la situación, suele residir en la presentación ridícula de sus protagonistas. Las personas implicadas destacan por su estupidez, con el cazador que le pega

---

6. Robert Provine, *Le rire, sa vie, son œuvre. Le plus humain des comportements expliqué par la science*, Robet Laffont, 2003.

un tiro al amigo en vez de comprobar si tiene pulso, que es lo que haría cualquier persona con dos dedos de frente.

El hecho de ridiculizar a los demás, subrayando su estupidez, permite reflexionar, por ejemplo, si tiene un efecto balsámico sobre nosotros: no somos tan ridículos *como ellos, no somos como los demás.* Y ésa es la razón de que muchos chisten no ataquen a un solo individuo, sino a colectivos: las rubias, los andaluces, los belgas, etc. Es una forma de afirmar que *nosotros* no somos como *ellos,* de los que sacamos todo tipo de defectos.

Los chistes más cómicos, según el estudio de Richard Wiseman, comparten un punto en común: aportan un sentimiento de superioridad a los que los vehiculan. Dicha impresión resulta de la evidente estupidez del personaje principal del chiste, incapaz de reaccionar con sensatez o, simplemente, de comprender la situación en la que está implicado.

La teoría de la superioridad, que estipula que nos reímos de la gente que presenta alguna inferioridad en relación a nosotros —ya sea en el plano intelectual, físico, de normalidad, etc.—, tiene su origen en el filósofo griego Platón. Según él, la risa tiene algo de degradante y, por ello, debería ser evitada —otra vez la confusión entre «reír con y reír de»—. Esta teoría nos permite comprender por qué los payasos se visten con ropa de colorines, zapatos enormes y pelucas extravagantes; por qué los enanos y los jorobados hacían tanta gracia en la Edad Media y por qué la gente deforme se exhibía en la Inglaterra victoriana. Además, los locos están sobrerrepresentados en los chistes del mundo entero: «*Esto era un loco que...*».

En la actualidad sabemos, gracias a los numerosos trabajos en torno al humor, que nos reímos más cuanto más sentimiento de superioridad nos provoque el chiste. No nos hace gracia nada que tenga que ver con una persona disminuida o con un niño que se hace daño porque eso nos da pena, no nos hace sentirnos superiores, pero si un agente de policía se da de morros en el suelo, nos morimos de risa.

En realidad, los chistes atacan a categorías de personas cuyo comportamiento se destaca deformándolo hasta la estupidez. Es el motor principal de los chistes sobre las rubias. ¿Alguien conoce el chiste del cazador que se lleva a una rubia al monte para enseñarle a cazar y cómo acaba la cosa?

¿Por qué las rubias? ¿Por qué no las morenas o las castañas o las pelirrojas? Porque parece que ser rubia se asocia con la belleza. Y si una mujer acumula en sí belleza e inteligencia… ¡la injusticia cósmica está en el aire! Machacar a las rubias por su hipotética estupidez parece restablecer un equilibrio justo. Normalmente nos metemos en los chistes con las personas que más envidiamos: los ricos, los poderosos, los médicos, los funcionarios, los curas, los políticos, los reyes y los viejos forrados…

Las historias de Jaimito se basan en este principio: el adulto es el ridiculizado, básicamente la maestra. «¿Dónde has aprendido a nadar, Jaimito?». *«¡En el agua! ¿Dónde iba a ser si no?»*. En este caso, la pertinente pregunta del adulto lo vuelve ridículo por la ambigüedad del adverbio «dónde». Veamos otro: «La maestra dice a sus alumnos que se levanten los que se crean tontos. El único que se levanta es Jaimito. "¿Por qué crees que eres tonto, Jaimito?". *Y Jaimito responde: "Ah, no, si yo no soy tonto. Lo que pasa es que me sabe mal verla sola y de pie…"»*. En los chistes de Jaimito, el más tonto no es el que uno se imagina.

A propósito de la estupidez:

- ¿Cuál es la medida de peso más pequeña?
- *El miligramo.*
- ¿Y de longitud?
- *El milímetro.*
- *¿Y la unidad de inteligencia más pequeña?*
- ¡El militar!

Podemos estar seguros que pocos militares reirán con este chistecillo que los hace quedar en ridículo. De hecho, los que suelen reír poco por lo general son el objetivo predilecto de chistes sobre su categoría social.

Es, sin duda, una de las razones por las que el chiste de los cazadores tuvo tantos votos en el estudio de Wiseman: hay pocos cazadores en la sociedad occidental así, de manera que si nos metemos con ellos, no mucha gente se siente ofendida. El mismo chiste aplicado a forofos de fútbol no habría tenido tanta acogida. El chiste también podría incluir nacionalidades: un cazador suizo y uno francés se van al bosque…

Parece, pues, que la utilización de los chistes y del humor para desencadenar la risa tiene un doble filo porque no son aplicables a todo el mundo, sino que se dirigen a una categoría precisa de personas susceptibles de reír.

No obstante, los chistes parecen gustar a casi todo el mundo, incluso a las víctimas explícitas de la historia. Por eso, los chistes tienen sus propias normas sociales: se escucha al que cuenta el chiste sin estropearle el momento, jamás se le dice que ya se conoce el chiste y nos esforzamos en reír, aunque no nos haga gracia. El *Saben aquel que dice…* provoca en la gente el mismo efecto que el «Érase una vez…» de los cuentos. Pronunciada esta primera frase, todo el mundo se calla y presta atención con reglas de comportamiento bien precisas. ¡Y pobre del que se las salte!

Cuando la risa se vuelve amarilla y el humor negro, las pasamos de todos colores

El estudio llevado a cabo por el profesor Wiseman y sus colegas ha permitido –además de crear la biblioteca de chiste más abastecida del mundo entero– comprender mejor cómo funciona el humor humano y responder a esta pregunta: ¿qué nos hace reír?

Otro punto interesante que emerge del análisis de esos chistes es el que concierne al tipo de público: no todo el mundo se ríe con el mismo tipo de chistes. En concreto, parece que nos reímos más con historias que presentan un elemento que nos parece preocupante. Así, los temas relacionados con el envejecimiento (pérdida de memoria, problemas de salud, geriátricos…) hacen más gracia a personas de mayor edad que a los jóvenes. ¿A quién se dirige el chiste MMS? «El sexo es MMS. Con 20 años se *practica mañana, mediodía y noche.*[7] *Con 40 años, martes, miércoles y sábado. Con 60 años, marzo, mayo y septiembre. Con 80 sólo es un suvenir*».

Las historias cómicas actúan como un chute de seguridad, permitiendo que la presión psíquica se relaje temporalmente. Sigmund Freud[8] en persona sostenía esta teoría, según la cual los chistes presentan un efecto catártico que permite eliminar parte de la ansiedad.

Así funcionan los chistes que no se meten con personas, sino con situaciones de la vida. Situaciones dolorosas a las que todos estamos potencialmente expuestos: la infidelidad y el engaño (¡Cariño, corre, es mi marido!), las relaciones de pareja, la familia (sobre todo la política), la enfermedad, la muerte (infierno y paraíso). ¿Qué nos hace gracia? Pues poder quitar hierro a temas de por sí problemáticos, tensos, e incluso trágicos. ¡Dulce y temporal revancha contra la desgracia que puede golpearnos en cualquier momento!

> *Reír: dulce y temporal revancha contra la desgracia que puede golpearnos en cualquier momento.*

---

7. En francés *soir*, con S. *(N. de la T.)*
8. Sigmund Freud, *Le mot d'esprit et sa relation à l'inconscient*, Folio Essais, 1992.

De lo contrario, ¿por qué tantos chistes sexuales? Tengamos en cuenta que nunca podemos estar seguros de cómo somos en ese ámbito por falta de comparación. No nos consuela lo que vemos en la pornografía, donde todos los hombres son portentosos, están excepcionalmente dotados y son resistentes, y las mujeres son muy expresivas en su goce y disfrute, están del todo operadas y sus orgasmos son siempre múltiples y de una intensidad descomunal. Burlarse de los demás es un medio de tranquilizarse al respecto y de revalorizarse…

Sea lo que sea, tranquilizarse no es sinónimo de reírse a carcajadas. El humor suele hacerse sobre personas a las que se rebaja, que no se divertirían con los chistes o con situaciones potencialmente angustiosas. Estas tragedias de la vida que intentamos exorcizar de este modo no siempre dan lugar a una risa auténtica sin un trasfondo amargo.

Cuéntale un chiste sobre infidelidad a un cornudo o uno sobre el infierno a un enfermo terminal, a ver la gracia que les hace…

Tampoco hay que olvidar que las palabras nunca son anodinas. Incluso los chistes dejan huella. Por lo visto, según los belgas, tras haberse visto expuestos a una serie de chistes sobre un colectivo concreto de gente, se tiende a considerar dicho colectivo como menos inteligente. De la misma manera que un estereotipo o un prejuicio influyen de manera inconsciente en nuestra opinión, los chistes operan en nosotros modificaciones en cuanto a nuestra forma de considerar a los demás. ¡De ahí a la discriminación sólo hay un paso!

Este efecto, denominado profecía autorrealizadora por los psicólogos, afecta también a la opinión que tenemos sobre nosotros mismos. Un estudio al respecto ha demostrado que las mujeres rubias previamente expuestas a un gran número de chistes sobre rubias, sacan peores calificaciones en los test sobre cultura general que aquellas rubias que no han escuchado este tipo de chistes.[9]

> Los chistes no están libres de efectos secundarios.

Acabemos con un chiste agradable, que obtuvo un buen resultado en el estudio de Wiseman. «*Esto es un perro que se va a una oficina de correos para enviar un telegrama. Dicta el texto al oficinista: "Guau, guau, guau; guau-guau, guau. Guau-guau, guau". Entonces el oficinista le dice: "Por el mismo precio puede añadir un guau más". Y el perro le responde: "Ya, pero no tendría sentido"*».

Quien ríe el último ríe mejor

Los chistes, qué duda cabe, pueden hacernos reír *en determinados momentos*, sobre todo en situaciones sociales que nos permiten relajarnos y animar el ambiente. Pero tener una especie de biblioteca de chistes en la cabeza para tomar el más adecuado cuando nuestro estado de ánimo está un poco gris no es una solución viable. En primer lugar, porque el efecto sorpresa habrá desaparecido, al tratarse del

---

9. Richard Wiseman, *op.cit.* capítulo 5, «Psychologie de l'humour».

recurso básico de todo chiste, y, en segundo lugar, porque la risa se convertirá en falsa o amarilla, en función de las circunstancias de nuestra vida: enfermedad, divorcio, pérdida, etc.

Un repertorio de chistes puede, en efecto, provocar sonoras carcajadas, pero volverlos a escuchar o contarlos es otra cosa distinta. No ocurre lo mismo con ciertos *sketchs* de humoristas o algunas escenas de películas cómicas. El cine cómico del siglo pasado es un buen ejemplo. Las películas de Charlot o de Laurel y Hardy siguen haciéndonos reír años después de haberse producido y no nos cansamos de verlas. Sus recursos cómicos no residen en los juegos de palabras ni en ridiculizar a los demás, sino que se basan en las relaciones entre los actores y su capacidad para burlarse de sí mismos. La tarta de nata en la cara sigue siendo un clásico del género que no pasa de moda.

¡Y qué decir de las cámaras ocultas! Nos partimos de risa con lo que sucede, pero no podemos dejar de sentir cierta piedad por los pobres incautos que caen en la trampa. Y eso hace menos gracia. Porque lo que experimentan las víctimas de cámara oculta antes del descubrimiento del engaño no suele ser agradable. Nuestra empatía nos impide disfrutar al cien por cien de la broma.

La comedia de situación que encontramos en los dibujos animados, por ejemplo, como las aventuras de Tom y Jerry, son un valor seguro. Es la misma razón que nos empuja a reír con las chorradas de los payasos.

Si bien los chistes no son antídotos eficaces contra el mal humor y no disponemos de un aparato que nos permita visionar escenas cómicas, ¿cómo es que todos nos reímos? Aquí es donde entra la risología.

3

Más allá de la barrera del ridículo: la libertad de ser uno mismo

La visita a un club de la risa o a una reunión de risólogos no deja a nadie indiferente. El espectador se queda estupefacto ante lo que está viendo: un grupo de individuos haciendo cosas absurdas y estrafalarias. Practican ejercicios improbables, como reírse de una esfera de plasma o de los movimientos del yoga para mover el diafragma, acompañados de ruiditos raros, todo ellos en una alegre cacofonía salida del caos con la presencia de un maestro de ceremonias.

¿Qué pasa en un club de la risa? Que la gente se reúne para reír. ¡Pero la risa no se controla!, dirá alguno. Tras un duro día de trabajo con vaya usted a saber qué momentos amargos y qué tensiones, el cuerpo no está para muchas tonterías y menos para reírse. Entonces, ¿cómo es posible?

> *En un club de la risa, no se cuentan chistes, sino que se entrena con ejercicios de risa.*

35

Dichos ejercicios o prácticas, que se etiquetan como yoga de la risa, suelen ser grupos de movimientos y posturas corporales (respiraciones abdominales, estiramientos, etc.) y puestas en escena que se van practicando. Por ejemplo, la risa de la esfera de plasma consiste en desplazarse aleatoriamente por una sala y, cada vez que coincides con alguien, emitir una risa muy aguda (tipo «ji, ji, ji, jiii»), que recuerde una descarga eléctrica. Si el humor no está siempre presente al principio del ejercicio, aparece en pocos instantes en toda la sala, dado lo absurdo. Es un poco como si volviéramos a ser, durante cierto tiempo, niños pequeños que hacen payasadas a la hora del recreo.

Los adeptos del yoga de la risa imaginan numerosos ejercicios que se bautizan según lo que les parece.[10] Así:

- La risa de la bruja: imitar a una bruja frotándose ambas manos y emitiendo una risita sádica y aguda.
- La risa de la montaña rusa: subir y bajar con las rodillas flexionadas recordando los vagones que van por una montaña rusa, haciendo que la risa vaya de los tonos más agudos a los más graves.
- La risa del pollo: poner las manos en la cintura y mover los brazos como si fueran alas, al tiempo que nos movemos como pollos, haciendo que aparezca la risa.
- La risa del león: adoptar la postura de un león que ruge. La poderosa risa que aparece proviene del fondo de la garganta, con la boca grande y bien abierta y la lengua

---

10. Corinne Cosseron y Linda Leclerc, *Le yoga du rire*, Guy Trédaniel Éditeur, 2011.

fuera. Las manos se ponen como si fueran garras, delante del cuerpo.

- La risa de la cortadora de césped: tirar del cable imaginario para encender el motor. Como suele pasar, el motor no arranca a la primera ni a la segunda. El movimiento del brazo tirando se hace con una risita tímida («je, je, je, jeeee») y a la tercera o cuarta, aparecerá una risa sonora («ja, ja, ja, ja, ja, jaaaa».

- La risa de la panza gorda: tomar todo el aire que se pueda, llenar la tripa e hinchar los mofletes y hacer reír a los demás sin reírse uno mismo. ¡La explosión de risa colectiva está garantizada!

Y todo ello salpimentado, como debe ser, con las carcajadas de todo el mundo: «jo, jo, jo, ja, ja, ja, ji, ji, ji, ji, juas, juas, juas».

Seamos claros: todas las palabras del mundo jamás podrían explicar de manera conveniente y realmente ilustrativa, lo que se vive cuando se *participa* en una actividad de risoterapia. ¡Ni siquiera un vídeo puede demostrarlo! Porque, desde el punto de vista de un observador externo, lo único que se ve es una serie de individuos totalmente *ridículos*. Lo mismo ocurre cuando se asiste, sin participar, en un taller de desarrollo personal destinado a que afloren las emociones que han estado largo tiempo reprimidas en el cuerpo: se oyen gritos, llantos, ruidos raros, actitudes extrañas e insólitas…

El miedo al ridículo y al juicio de los demás es lo único que impide a mucha gente participar y frecuentar los clubes de la risa.

El reino de las apariencias

¡No todo el que quiere puede ser risólogo! El título de risólogo se consigue tras una formación exigente que implica mucho trabajo e implicación personal.[11] Más allá del dominio de las diversas técnicas de la risa, de la relajación y de la respiración, hay un aspecto importante del desarrollo personal, como el psicólogo clínico que debe emprender un trabajo sobre sí mismo, una terapia individual, para poder ejercer su profesión correctamente.

Tanto los risólogos como los participantes en un club de la risa deben aprender a afrontar un miedo en extremo fuerte que reside dentro de todos nosotros: el miedo al ridículo, al qué dirán, al juicio desfavorable. Lo que más sorprende de los risólogos cuando los ves en acción es su absoluta despreocupación por lo que piensen los demás: hacen lo que tienen que hacer, completamente concentrados en su tarea, impermeables a los posibles juicios y críticas.

> *El risólogo debe enfrentarse a un potente miedo que todos llevamos dentro: el miedo al ridículo.*

En psicología positiva, existe la noción de flujo[12] –*flow* en inglés– para dar cuenta de situaciones particulares de la

---

11. Véase, por ejemplo: www.ecolederire.org

12. Este concepto fue elaborado, y ampliamente estudiado, por el psicólogo Mihály Csíkszentmihály.

vida: en el flujo, estamos muy concentrados en la actividad que llevamos a cabo hasta el punto de olvidarnos del tiempo que transcurre, incluso de la conciencia de nosotros mismos. Nuestra atención está por completo acaparada por la tarea. Esas situaciones en las que experimentamos flujo por lo general están asociadas a instantes de felicidad, que dejan buen sabor de boca y agradables recuerdos.

Los risólogos suelen estar en flujo cuando practican su arte. Por eso no se preocupan por lo que piensan los demás. Aún más, para ofrecer un buen espectáculo a los demás, con movimientos y actos por lo general considerados grotescos, es necesario haber superado el miedo al ridículo. Para llegar a ser risólogo es necesario afrontar, de una vez por todas, el miedo a la crítica ajena. Hay que atravesar el espejo e ir más allá de las apariencias.

> *Gustar a los demás es un imperativo en un mundo en que la apariencia dicta la ley.*

Hay que tener en cuenta que, en realidad, vivimos en la dictadura de las apariencias. La opinión de los demás ocupa un lugar preponderante en nuestra forma de comportarnos, de vestirnos, de arreglarnos. Lo que piensen los demás nos importa mucho. Todos queremos gustar o, como mínimo, no ser juzgados de manera negativa. De lo contrario, ¿cómo explicaríamos que haya mujeres que se someten de un modo voluntario al tormento de unos altos tacones de aguja, de diez centímetros, jugándose el físico con problemas de estabilidad?

Los niños pequeños saben reír con todo su corazón. Se abandonan a la alegría por completo, sin preocuparse por los demás. Viven intensamente sus emociones, nada más. Con el paso de los años, el juicio social se va volviendo más importante, en particular cuando el sexo empieza a cobrar importancia a sus ojos: en la preadolescencia. En esa etapa, lo importante es gustar a las chicas (o a los chicos). La adolescencia marca la entrada definitiva en el mundo de las apariencias, donde la presentación de uno mismo importa más que lo que se está viviendo. Y si hablamos de redes sociales y *selfies*,[13] ya no se trata de presentación, sino de *representación* de uno mismo. Es la vida como un espectáculo en el que intentamos tener el papel protagonista o, en su defecto, un papel importante.

Tener buen aspecto, dar buena impresión, gustar… Hay muchas palabras imperativas en nuestra vida social. En particular, gustar a la gente del sexo contrario (o del que nos interese), es decir, entrar en una dinámica de seducción. El maquillaje femenino es, sin duda alguna, la muestra más evidente. En otro registro, el trabajo de autoafirmación intenta reducir el miedo a no gustar. ¿Qué van a pensar de mí? es una pregunta que detiene a mucha gente frente a decisiones que debe tomar. Para no correr el riesgo de ser percibidos de manera negativa, renuncian a su satisfacción personal y caminan en el sentido que los demás consideran oportuno.

---

13. Autorretrato realizado por lo general con un teléfono móvil, destinado a ser publicado en las redes sociales.

Renunciar a esta dimensión de la seducción, abandonar temporalmente el autocontrol, abandonarnos, olvidar a la gente y sus hipotéticos juicios… no es tarea fácil. Existe un auténtico pánico a las críticas de los demás.

> *Reír borra momentáneamente la conciencia de uno mismo.*

La risa representa un antídoto para este miedo y esa exacerbada consciencia de uno mismo. Borra momentáneamente la conciencia de uno mismo y ofrece un oasis de bienvenida en el desierto de las apariencias, donde siempre hay que controlar lo que se hace. Cuando nos reímos, ya no nos preocupamos por el qué dirán.[14] Es, sin duda, una de las razones que atraen a los que disfrutan en los clubes de la risa.

El ridículo mata… los miedos más profundos

Una reunión de risólogos se caracteriza por el hecho de que las apariencias pueden tener cierta importancia, pero el objetivo no es gustar a nadie ni comportarse de una manera agradable para los demás. Se trata de sentirse bien con la ropa que se lleva, y mostrarse jovial, pero no seducir. Las

---

14. Salvo en el caso de la risa tonta, en situaciones en las que no está bien visto reírse.

41

mujeres iniciadas en el arte de la risa no se visten sexis para ir a reír al club, sino que su atuendo tan sólo es cómodo. Incluso pueden ir un poco extravagantes para favorecer las sonrisas. Cuando se ríen, lo hacen también de las miradas escrutadoras que los demás podrían echarnos ¡eso está ya superado!

Los participantes de los clubes de la risa aprenden a dejarse llevar, a olvidar las opiniones ajenas. La cosa resulta más fácil porque los otros participantes hacen lo mismo y piensan igual. Nadie es más ridículo que los demás, cada cual hace, exactamente, los mismos ejercicios. El grupo forma una protección contra el miedo al ridículo: nadie se juzga ni se burla del que hace lo mismo que él.

La situación es por completo distinta en el caso de las personas que ejercen la risoterapia como profesión. Ir a un geriátrico para llevar un poco de buen humor entre los ancianos o aparecer en la televisión para publicitar los clubes de la risa obliga al risólogo a exponerse. En ese momento se encuentra solo ante el mundo, escrutado, juzgado por la multitud. Y sabe que tiene todos los números para que se burlen de él, para que lo vean como un charlatán ridículo.

Hay que tener mucho valor para meterse así en la boca del lobo. Sobre todo, hay que haber realizado un enorme trabajo personal, una inmersión en los miedos más profundos. Es una prueba digna de un héroe de la antigüedad que se enfrenta a sus demonios interiores, sobre todo al miedo al ridículo, a no gustar, a ser juzgado de un modo negativo.

Por suerte, como todos los miedos, el miedo al ridículo no resiste la exposición. Es uno de los descubrimientos cruciales de la psicología moderna: cuanto más se evita lo que nos da miedo, más miedo nos da. Por el contrario, si nos enfrentamos a lo que nos asusta, el miedo disminuye. Por ejemplo, las personas que sufren fobia a las arañas, evitan en lo posible encontrarse con ellas. Así, aumenta la intensidad de su miedo, y cuantas menos ve, más miedo le dan. En las psicoterapias modernas[15] para esta patología, el sujeto se expone, poco a poco y en un marco seguro, al objeto de su miedo, hasta que pueda tocar una araña grande sin ningún problema, algo impensable al principio del proceso. De esta manera se acaba con la fobia en unas diez sesiones, sin haber tenido que remontarse a la infancia para buscar el origen primigenio de la fobia, ni los hipotéticos traumas, etc.

> *Cuanto más se evita lo que se teme, más miedo nos da.*

El risólogo no se expone a las arañas, pero sí al juicio de los demás. Hace cosas que sabe que serán juzgadas como disparates. Se da cuenta, igual que el fóbico que es capaz de tocar arañas, aunque unas semanas antes hubiera sucumbido al terror, de que la vida continúa, que ha sobrevivido a la prueba. En realidad, el mundo siempre sigue dando vueltas, uno se da cuenta de que el miedo era exagerado, que no había para tanto. El ridículo no mata.

La risa espontánea borra temporalmente la consciencia de uno mismo y el miedo a la opinión ajena. La participación activa en ejercicios de yoga de la risa contribuye a aprender a borrarla a base de repeticiones. ¡Ser risólogo o profesional de la risa implica liberarse para siempre!

---

15. De tipo cognitivo y comportamental.

La risología es una cosa muy seria

Sería un error considerar la risoterapia como un juego de niños. Detrás de ese entrenamiento para reír y para hacer reír, existe un objetivo muy serio: llevar la felicidad a la vida de la gente. La definición que proporciona Corinne Cosseron, la creadora de la Escuela Internacional de la Risa, es la siguiente: «La risoterapia es un conjunto de técnicas psicocorporales de educación emocional, destinadas a estimular la alegría de vivir, el optimismo, la creatividad y, de manera general, la buena salud mental y física». Añade que, bajo este término, se esconde «un conjunto de disciplinas de la risa y de la alegría de vivir del mundo entero, con vistas al bienestar, en la vida cotidiana, el ámbito de la salud, la reinserción social, la enseñanza y la empresa».[16]

La risología se ha convertido, para algunos, en un oficio y en la principal fuente de ingresos. ¿Cómo se ganan la vida? Llevando la risa y el buen humor donde la gente los necesita: geriátricos, prisiones, hospitales… son lugares propicios para los risólogos. Esos lugares no se caracterizan por tener residentes alegres y contentos. ¡Todo lo contrario!

Los risólogos también son solicitados por diversos ámbitos profesionales: cada vez hay más empresas que pretenden un cambio en el ambiente que reina entre compañeros, con vistas a un refuerzo de los lazos entre equipos (lo que en inglés llaman *team-building*), o para llevar a cabo una actividad recreativa: hacer que los compañeros rían juntos, acostumbrados a relacionarse con seriedad, estresados y tensos.

---

16. Corinne Cosseron, *op. cit.*, p. 29.

Más allá del lado divertido, la risoterapia aporta, asimismo, otra manera de tomarse la vida cotidiana, basada en el lado positivo de las cosas. La analogía con el psicólogo va más allá de lo que parece. Allá donde el psicólogo trata el sufrimiento de la gente, el risólogo se interesa por proporcionarle emociones agradables y felicidad. Ayuda a sus clientes a vivir mejor, a muscular su optimismo.

> *Allá donde el psicólogo trata el sufrimiento de la gente, el risólogo se interesa por proporcionarle emociones agradables y felicidad.*

Por eso, los risólogos se inspiran en los descubrimientos de la psicología positiva, una disciplina reciente de la psicología, consagrada exclusivamente a las emociones agradables, a la felicidad y a la expansión personal.

El eslabón perdido de la psicología positiva

La psicología positiva, como ciencia de la felicidad, nació a finales del siglo xx bajo la tutela del profesor Martin Seligman. Desde entonces, ha adquirido un cariz de nobleza y se ha difundido por todo el mundo. Se han publicado numerosos libros para divulgarla al gran público.[17] Su particulari-

---

17. Para una revisión de las obras principales, véase Yves-Alexandre Thalmann, *La psychologie positive pour aller bien*, Éditions Odile Jacob, 2011

dad reside en interesarse, de manera exclusiva, por las emociones positivas, la felicidad, el bienestar y la serenidad, dejando atrás el sufrimiento, los problemas, las disfunciones y los problemas psíquicos.

Basándose en numerosos estudios, la psicología positiva puede afirmar que la felicidad aparece cuando encontramos, al mismo tiempo, sentido y placer por la vida que vivimos. Esta constatación, aparentemente simple, no oculta una toma de conciencia fundamental: la felicidad no reside en los acontecimientos que nos ocurren o que no nos ocurren, sino en el estado anímico. Que te toque la lotería, encontrar el amor o conseguir un buen trabajo procuran cierto grado de alegría, qué duda cabe, pero es una alegría temporal.

Nuestro cerebro se adapta continuamente a lo que vivimos. Por ejemplo, dejamos de notar las gafas sobre la nariz porque nuestro cerebro se adapta a ellas. Por desgracia, lo mismo sucede con las emociones positivas: nos adaptamos a ellas hasta perder la consciencia de sentirlas. Por eso, si nos compramos un vehículo nuevo, seremos felices unos cuantos días, quizás unas semanas; luego dejaremos de pensar en el automóvil y en el privilegio que representa tenerlo y utilizarlo.

> La felicidad no reside en los acontecimientos que nos ocurren o que no nos ocurren, sino en el estado anímico.

Las personas somos intermitentemente felices. Nos interesa, para nutrir la felicidad, hacer un esfuerzo consciente y no olvidar que somos felices, para no empacharnos con las emociones agradables de la vida cotidiana hasta el punto de dejar de percibirlas. Y es que las emociones positivas son un fermento esencial para la felicidad. No obstante, como toda emoción, es pasajera por definición. Tenemos que multiplicarla como sea.

> *Somos intermitentes en materia de felicidad.*

Las emociones positivas, la alegría, el orgullo, el entusiasmo, la confianza, etc. constituyen, junto al placer procurado por los sentidos, la dimensión hedonista[18] de la felicidad.

La dimensión eudemónica de la felicidad es la que se trata más a menudo: los libros de psicología positiva están repletos de ejercicios para dinamizar el bienestar implicando a la mente. La práctica de la generosidad, el entrenamiento del espíritu de gratitud o la apreciación de los pequeños placeres cotidianos son cosas que nos llevan a una mayor satisfacción en la vida diaria.

Pero ¿qué propone la psicología positiva para activar el lado hedonista de la felicidad? ¿Cómo podemos crear emociones agradables? Más allá de la plena consciencia y de otros ejercicios de meditación destinados a conducir nuestra atención hacia las sensaciones, y no tanto hacia lo mental, no se dan muchos consejos al respecto.

La risoterapia, por su parte, destaca en el desencadenamiento y entrenamiento de la alegría y la risa. Se puede

---

18. Es decir, relacionada con el placer.

afirmar que abraza la dimensión hedonista de la felicidad mejor que ninguna otra disciplina. Por eso, la psicología positiva y la risoterapia se complementan tan bien la una a la otra: la primera ofrece un marco teórico y prácticas para aumentar el bienestar de manera duradera, mientras que la segunda estimula el placer y las emociones agradables como la alegría y el júbilo. **No es exagerado decir que la risoterapia es el eslabón perdido de la psicología positiva, su pizca de locura y su anclaje corporal.**

La psicología positiva enseña los beneficios de la alegría y nos enseña a estimular las emociones agradables mediante la toma de conciencia y las acciones concretas. El estado de ánimo desencadena el buen humor y provoca sonrisas, incluso carcajadas. Pero raramente provoca crisis nerviosas de risa compulsiva. Son el patrimonio de la risoterapia: constituyen su terreno (de juego) predilecto.

> *La risoterapia es la sonrisa que equilibra la seriedad de la psicología positiva.*

4

Fantasías destinadas a hacer reír

Puede parecer extraño, a primera vista, combinar dos universos tan diversos que resultan opuestos: el erotismo y la risa. Hay que tener en cuenta que la sexualidad es un ámbito en el que la risa no suele ser bienvenida: una risa loca en pleno coito puede apagar los ardores más calientes... La literatura y el cine confirman este hecho: las escenas de amor que contienen estallidos de carcajadas son realmente raras, rarísimas. «Te quiero... ja, ja, ja, ja, ja... jo, jo, jo, jo, joo...» no queda precisamente bien, estaremos todos de acuerdo. Una vez en plena acción en la cama (o donde sea), las carcajadas pueden interpretarse como una burla inaceptable, como una descarada humillación. Es un crimen de lesa majestad hacia el deseo sexual.

¡Los payasos no son sexis!

Por tanto, no es cuestión de ir mezclando dos universos antagónicos como el sexo y la risa. Sin embargo, el erotismo es un mundo en el que lo mental juega un papel fundamental. El erotismo es la poesía de la sexualidad o, mejor, *la sexualidad magnificada por la imaginación.*[19] En otras palabras, el erotismo es a la sexualidad lo que la gastronomía a la alimentación. Y ese papel mental preponderante es el que importa aquí: **si nuestra imaginación puede provocar excitación sexual, a voluntad prácticamente, ¿no podría causar lo mismo en otros ámbitos, como la risa o el buen humor, a voluntad?**

Las fantasías sexuales, con independencia de cómo se las quiera juzgar, tienen el poder de excitar la libido. Son un motor, es decir, una fuerza motivacional. Más aún, resisten a la repetición. La sexualidad de la pareja estable tiende inexorablemente a empobrecerse en la duración, en la intensidad, si no se hace algo al respecto. Pero las fantasías conservan su poder de excitación más o menos intacto con el paso del tiempo. Y tampoco se usan de manera habitual, se varían.

El poder de provocar una reacción segura y su resistencia a la usura, su durabilidad, son, exactamente, las características que buscamos cuando se trata de solicitar la aparición del buen humor y desencadenar la risa.

Pero antes de llenar los estantes de esta biblioteca personal con las mejores fantasías de risa, tenemos que explorar

---

19. Es decir, relacionada con las decisiones y las reflexiones. Véase Christophe André, *Vivre heureux: psychologie du bonheur*, Éditions Odile Jacob Poche, 2004.

el universo secreto de las fantasías eróticas, para comprender su lógica y su dinámica.

> *Disponer de una biblioteca de escenarios personales, convocables a voluntad, manteniendo sus virtudes a pesar de su uso reiterado, con el objetivo de calmar y estimular la risa y la sonrisa, es la promesa del trabajo sobre fantasías en risoterapia.*

Descubrir fantasías

Las fantasías sexuales son escenarios eróticos, imaginarios y recurrentes, que activamos en la mente para excitarnos en el marco del deseo sexual. Son pensamientos encadenados de los cuales somos protagonistas, capaces de despertar y amplificar nuestra libido.

> *El análisis de las fantasías, cuyo poder no se reduce con la utilización repetitiva, puede enseñarnos mucho sobre el funcionamiento de la mente y la manera de concebir las secuencias de pensamientos destinadas a hacernos reír.*

Hay, sin embargo, una dificultad en este análisis. La sexualidad implica intimidad: no es fácil hablar de ella con la gente. Más allá de las fanfarronadas expuestas en torno a unas cañas, ¿qué queda, realmente, en términos de conversación seria, en cuanto a los placeres de la sexualidad? Por ejemplo: ¿has comentado con tus amigos o con tu amante tus fantasías sexuales más secretas?

El primer estudio de gran envergadura sobre las fantasías sexuales fue llevado a cabo en Gran Bretaña a principios del año 2000. El resultado fue publicado algún tiempo después con el título *Le livre des fantasmes.*[20] Este texto explica y analiza las fantasías sexuales de más de cuatro mil personas. De ellas se aprenden muchas cosas, como, por ejemplo:

- La mayor parte de las fantasías tienen un contenido inmoral: incesto, pedofilia, gerontofilia, prácticas poco convencionales (ondinismo, etc.), sexo en grupo, dominación y sumisión, violación y violencia. Esto es lo más común.
- Si las fantasías sexuales se materializarán, la mayor parte de la humanidad estaría entre rejas.
- Las fantasías se construyen, generalmente, en torno a un pequeño recuerdo real que sirve de base para la fantasía que se nos ocurre.
- Las fantasías son plurales: en función del momento, del estado de ánimo, surgen fantasías diferentes.
- Las fantasías eróticas se presentan en forma de escenarios extremadamente detallados. Se construyen sobre una trama narrativa que no suele variar: el desarrollo siempre es idéntico, aunque puedan variar los personajes. Su formato privilegiado es la imagen.

---

20. Fórmulas que debemos a Esther Perel, sexóloga y psicoterapeuta, autora de *La inteligencia erótica.*

- Las fantasías son personales e intransferibles: responden, de manera personalizada, al imaginario erótico del que las elabora.
- A menudo hay una tentativa de reparación de la realidad en las fantasías: transforma en alguna cosa erótica un elemento que difícilmente se viviría. Permiten, de este modo, recuperar el poder sobre los acontecimientos vividos desde la impotencia (como, por ejemplo, una violación).

Recuperemos ahora esta lista de características para sacar conclusiones que nos ayuden a elaborar fantasías de risa.

No es conveniente. ¿Y entonces?

Hemos visto que la mayoría de fantasías sexuales son inmorales. Son inconvenientes, no se adecuan a las normas sociales comúnmente admitidas ni a las leyes vigentes. Eso no tiene, en efecto, la menor importancia porque sólo hablamos de la imaginación.

> *En lo más profundo de nuestra mente ¡todo está permitido!*

Los comportamientos de la vida real deben respetar las normas y las leyes en vigor, si no queremos tener serios problemas. Pero en el mundo de la imaginación, decidimos lo que queremos: volar por el cielo, recorrer mundos submarinos, ser amantes de una celebridad, aparearnos como dioses, arreglar cuentas con un político que detestamos o decirle cuatro cosas a un compañero de trabajo o a un pariente. Nuestra imaginación nos pertenece y, por definición, no se doblega ante las leyes del mundo real. Ahí reside su fuerza.

Así, podemos reírnos de todo en el momento que queramos. Todas las situaciones pueden ser absurdas y esperpénticas con la barita mágica de la fantasía. En este sentido, nuestra mente es el templo de todas las libertades y nos estaríamos equivocando si quisiéramos doblegar nuestro pensamiento a lo que es conveniente. Como un cineasta, podemos usar efectos especiales para construir el mundo como nos plazca.

Pequeños detalles percibidos por casualidad en la calle pueden transformarse en una escena absurda en nuestra mente: podemos imaginar una persona harapienta o friki, resbalando, cayéndose de morros, a la que se le caen los pantalones o se los rompe por el trasero en la caída. Todo lo que nos haga reír es bueno, siempre y cuando permanezca en el secreto de nuestro teatro interior.

En una fantasía de risa, nos podemos reír de una persona en toda su cara. Como nunca lo sabrá, no hay nada de malo en ello. Y menos si las risas son a costa de una escena que no se corresponde con la realidad que implique a dicha persona, sino que todo sea una construcción mental. La risa, aquí, no es una risa de burla, sino una ocasión para reírse de un aspecto absurdo de la realidad, como los programas de televisión que presentan vídeos donde la gente se cae. El hecho de que suelan ser niños los que aparecen en estos programas da fe de que no nos burlamos de los pobres niños en fase de crecimiento y aprendizaje. ¡Nos reímos con toda la ternura del mundo!

¿Es peligroso, doctor?

¿Puede ser peligroso transportarse a escenarios imaginarios y que se nos note algo en la realidad? Pues otra vez, el tema de las fantasías sexuales nos ayuda a arrojar luz: las fantasías tienen un poder erótico en la imaginación, pero pierden dicho poder en cuanto se materializan en la realidad. ¿Por qué? Sencillamente porque nosotros sólo somos dueños absolutos de lo que sucede en nuestra imaginación. Incluso los menores detalles obedecen a nuestra voluntad, pero la realidad resiste a nuestros deseos. Siempre hay elementos que no se corresponden con lo que nos gustaría, aunque paguemos a otras personas para que hagan lo que queremos en nuestro escenario.

Las fantasías sexuales tienen tanto poder erótico *justamente* porque pertenecen al mundo imaginario. La cuestión de trasladar la fantasía a la realidad ha sido evocada a menudo. Y no hay que sacar conclusiones precipitadas en este punto: si bien es cierto que numerosos delincuentes sexuales alimentan sus perversiones con sus propias fantasías, la mayoría de personas tiene fantasías sexuales «ilegales» (si se llevaran a la práctica real) que jamás pasan a la acción.[21]

Semejante error de razonamiento ha llevado a una concepción errónea de los problemas psíquicos. Como la ma-

---

21. Brett Kahr, *Le livre des fantasmes*, Grasset, 2008.

yoría de las personas que consultan a los psicólogos y psiquiatras, por culpa de alguna patología mental, han tenido una infancia difícil en algún aspecto, bajo el signo de la violencia, el abuso o las carencias afectivas, se concluye que una infancia semejante es necesariamente precursora de problemas en el futuro. En realidad, la mayoría de niños martirizados de algún modo en su infancia se ha desarrollado de manera normal y lleva una vida adulta equilibrada y plena. Es la resiliencia.

Lo mismo ocurre con las fantasías cómicas y las sexuales: dado que sólo se inscriben en la esfera mental, no representan peligro alguno y podemos vivir con la conciencia tranquila. ¡Sobre todo cuando se trata de la risa!

> *Dado que las fantasías sólo se inscriben en la esfera mental, no representan peligro alguno y podemos vivir con la conciencia tranquila.*

Virtualidad aumentada

Las fantasías sexuales, en principio, suelen construirse alrededor de una escena real. Ésta suele tener lugar a la edad del despertar sexual, hacia los 12 años, que es cuando se forjan las huellas que dirigirán nuestra vida erótica. Por ejemplo, un niño que ve de refilón las braguitas de su maestra puede alimentar una fantasía con el tema de las bragas hasta el fin de sus días. A partir de ese pequeño fragmento de recuerdo, imaginará toda una película que lo llevará al éxtasis. Una visita al médico en la que hay que desnudarse puede conducir al mismo resultado.

Casi siempre hay una parte verídica, de vivencia real, en la construcción de una fantasía sexual. Pero esta constatación debe ser matizada convenientemente en la actualidad, como consecuencia de la preponderancia de imágenes en nuestra sociedad. Internet rebosa de imágenes eróticas y pornográficas que los jóvenes pueden contemplar, saltándose todos los controles parentales que los padres quieran ponerles, para saciar su curiosidad. Una imagen vista, un vídeo porno o una película pueden ser la base de una fantasía sexual. La escena inspiradora no se habrá vivido, pero permanece muy viva en la memoria del que la ha visto.

No obstante, la pizca de realidad sólo es el soporte que la imaginación utiliza para desplegar todos sus tesoros de ingenio. El verdadero trabajo de elaboración de la fantasía lo hace la mente. Lo mismo ocurre con las fantasías cómicas. La parte de realidad que se usa de base no es determinante: una fantasía no tiene por qué tener nada que ver con la realidad.

Por otra parte, es útil recordar que un recuerdo no es un registro fiel de la realidad. Nuestra memoria funciona más como un novelista que como un fotógrafo. La construcción de un recuerdo (una traza amnésica, en el lenguaje de los especialistas) obedece a dos principios: el de correspondencia y el de coherencia. El primero vela para que el recuerdo se corresponda, más o menos, con lo que se ha vivido, mientras que el segundo se las arregla para que el recuerdo sea coherente con nuestras creencias y conocimientos. Memoria e imaginación van siempre a la par.

Además, los recuerdos son frágiles: cada rememoración los altera. Nuestra mente no puede abstraerse de lo que sabe. Por eso, nuestros conocimientos actuales se agarran a los recuerdos y los modifican de manera imperceptible. Por ejemplo, unas vacaciones en pareja, muy agradables en ese momento, pueden dar lugar a un recuerdo doloroso si nos enteramos que nuestra pareja nos ponía los cuernos en ese momento. No podemos obviar esa información nueva ni dejar de incorporarla al recuerdo anterior.

El grado de adecuación de una fantasía a la realidad no es, en consecuencia, una cuestión pertinente. No es su veracidad ni su plausibilidad lo que importa, sino que lo determinante es su efecto: desencadenar la risa y el buen humor.

Las nuevas tecnologías han inventado el término *realidad aumentada*, es decir, añadir información virtual a la real, como las gafas que van añadiendo el nombre de las calles a medida que pasamos por ellas. En materia de fantasías, podríamos hablar de *virtualidad aumentada*.

> *Virtualidad aumentada:*
> *un mundo completamente imaginario con incrustaciones*
> *de aquí y de allá con perlas de realidad.*

La pluralidad está de moda

Escuchar música procura placer de manera universal. En cualquier época, se han contratado músicos para alegrar diversos momentos hasta que aparecieron los magnetófonos. A partir de entonces, la música se convirtió en un objeto al alcance de todo el mundo. En el momento de las tecnologías de la información, los soportes se han reducido al mínimo, de manera que es posible el almacenamiento de música en espacios minúsculos, como ocurre con los MP3.

¿Por qué este apartado sobre la música? Para poner de manifiesto que la mayor parte de la gente dispone de una biblioteca con sus canciones y artistas favoritos. En plural. Aunque no escuchemos todos los temas de nuestra fonoteca, los vamos intercalando y los coleccionamos. Escogemos la música en función de nuestro estado de ánimo en cada momento. Lo mismo sucede con las fantasías eróticas: escenarios diferentes que pueden evocarse en momentos distintos. Lo normal es disponer de un conjunto de fantasías con resortes eróticos y narrativas diversas.

Por eso, las fantasías cómicas se conjugan siempre en plural. Cuantas más creamos, más llenamos la biblioteca personal y más eficaces resultan. Y como ocurre con la música, algunos temas pierden atractivo temporalmente y son sustituidos por otros nuevos, hasta que se recuperan los anteriores para desaparecer de nuevo…

> *Las fantasías tienen vida propia y experimentan una evolución que escapa a nuestro entendimiento.*

La risa se oculta en los detalles

Es interesante e instructivo analizar en detalle el contenido de una fantasía sexual. Lo mejor, en este caso, es escuchar la descripción detallada de una fantasía de otra persona. Ni que decir tiene que conseguir esto es complicado porque la gente se siente molesta con el tema, les da vergüenza y se autocensuran. ¡Pero se puede tomar el atajo de Internet! Actualmente, existen muchas webs repletas de fantasías sexuales características y concretas.[22] Los consumidores no tienen por qué visionar los contenidos sexuales, sino que pueden pasar horas viendo imágenes estáticas que se correspondan con sus propias fantasías. Las palabras-clave que introducen en los motores de búsqueda son precisas y detalladas en extremo.

¿Qué podemos concluir de esta breve inmersión en el oscuro mundo del sexo virtual y comercial? Que nuestras fantasías no están constituidas sólo por imágenes intercambiables, sino que presentan escenarios de una enorme precisión, en los que el detalle ocupa un lugar primordial. Una fantasía es una sucesión de imágenes precisas, ordenadas siguiendo una trama narrativa bien pulida. Analiza alguna de tus fantasías y podrás confirmar esta afirmación.

> *Una fantasía es una sucesión de imágenes precisas, ordenadas siguiendo una trama narrativa bien pulida.*

Lo mismo ocurre con las fantasías cómicas. No basta con evocar una anécdota o una escena de manera aproximada para provocarnos la risa. Al contrario, es más eficaz utilizar todos los recursos de la imaginación y la memoria para

---

22. Véase el estudio de Brett Kahr, *Le livre des fantasmes*, Grasset, 2008.

construir imágenes y secuencias lo más detalladas posible. Lo mismo pasa con la trama: las escenas pueden encadenarse para formar una especie de película que podemos repasar a voluntad, no imágenes absurdas e inconexas.

Así, podemos citar el ejemplo de una mujer que se ríe a carcajadas cuando rememora un episodio desagradable que sufrió en un centro comercial. A sus bragas se les desprendió una tira de blonda que, conforme caminaba, fue bajando hasta resultar completamente visible entre sus piernas, por debajo de la falda. La anécdota podría explicarse en una sola frase, pero ella disfrutaba ofreciendo todo tipo de detalles y extendía el relato a unos generosos diez minutos, describiendo detalles desternillantes y las caras de los transeúntes que se cruzaban con ella.

Esta riqueza de detalles narrativos explica por qué se puede hablar de fantasías cómicas, más que de simples anécdotas divertidas o de ideas absurdas. Se trata de una elaboración compleja, llena de matices, y no de un pensamiento aislado.

> *El efecto cómico es más pronunciado cuantos más detalles suculentos y esperpénticos haya, por eso se enfatizan y exageran.*

Placer solitario pero contagioso

Sin caer en el juego de palabras, la fantasía erótica se centra en el placer solitario. Hay una dimensión muy personal en ella y no tiene como objetivo ser comunicada a los demás, ni siquiera al compañero sexual. Nuestro universo erótico es tan personal que las oportunidades de responder a los deseos de otra persona son prácticamente nulas. Es evidente que hay grandes clásicos: ciertas fantasías son compartidas por muchas personas, por eso forman parte de obras literarias o cinematográficas.

Las escenas que a nosotros nos hacen reír no siempre hacen gracia a los demás. Por tanto, ciertas fantasías cómicas deberían quedarse en nuestro interior para activarlas sólo cuando nos apetezca y alegrarnos el momento.

Por el contrario, otras fantasías contienen tantos elementos cómicos que pueden ser compartidas como si de chistes se tratara. Lo que importa no es tanto el contenido de lo explicado, sino la visualización que cada cual haga en su mente. Como cuando se lee una novela y cada lector crea sus propias representaciones personales y únicas.

La idea misma de una fantasía cómica permite, también, otra distinción con el humor, como artífices para hacer reír. La fantasía es, sobre todo, visual y animada, mientras que el humor se centra en la palabra, en los juegos de palabras, en incongruencias, etc.

La risa es contagiosa;
no tanto los desencadenantes sino su manifestación
misma: nos reímos cuando escuchamos a los otros reírse,
sin importar lo que estén intentando decir. Así, las
fantasías cómicas son unos desencadenantes poderosos
de risa tonta colectiva.

El poder reparador de la imaginación

Las fantasías sexuales, más allá de su función excitante, cumplen con otro papel: permiten reparar vivencias difíciles del pasado. La fantasía de una violación permite retomar el control sobre acontecimientos caracterizados por la coacción porque la persona que la imagina es autor y protagonista al mismo tiempo. La fantasía del sexo en grupo permite imaginarse en compañía de múltiples amantes llenos de deseo y ardientes por participar en prácticas poco convencionales, mientras que la sexualidad conyugal, por ejemplo, suele vivirse en términos convencionales y aburridos.

> *Las fantasías permiten reparar una vivencia difícil del pasado.*

Las fantasías cómicas permiten transformar los recuerdos, que no fueron tan absurdos en su momento, en episodios altamente cómicos. La mayoría de los recuerdos que provocan una risa loca pertenecen a esta categoría: risa a carcajadas, incontrolable, durante un entierro o una boda, son cosas que no suelen vivirse bien en el momento en que ocurren. Pero luego ¡menuda anécdota para explicar!

Vamos a ver un ejemplo de fantasía cómica con poder reparador. *Se trata de una mujer que explica el final de la vida de su padre. El anciano siempre repetía que no quería una muerte angustiosa y que prefería morir antes de conocer la decrepitud. Tenía una pequeña pistola en casa por si tenía que utilizarla en caso de necesidad... Y se vio el hombre muriendo en el hospital, con su hija a su lado, sabiendo que no iba a re-sistir mucho tiempo más, cuando con penas y dolores el padre intentaba decirle algo a su hija: «pis... pis... pis...». La hija, que no entendía lo que el padre le quería decir y sospechando que le pedía la pistola para matarse, le dijo: «¡No papá, no iré a buscar la pistola!». Y el vejete consiguió responder: «¡Pis! ¡Que tengo pis! ¡Que me estoy meando!». La hija empezó a soltar carcajadas mientras que su padre le sonreía y de ese modo se murió. Hermosa muerte la de este anciano que se fue sonriendo con las carcajadas de su hija.*

La fantasía cómica permite no sólo desencadenar la risa, sino también transformar una experiencia dolorosa en un recuerdo aceptable. El humor permite tomar distancia en relación a las cosas, y ésa es su función primera.

Reír por encargo

La analogía que existe entre la risa y el desarrollo del acto sexual no ha pasado desapercibida por los sexólogos más avispados. La risa, exactamente igual que el coito, pasa por distintas fases: preparación, excitación, subida, explosión, calma y relajación.

Esta aparente similitud es, sin duda, una de las razones suplementarias que ha empujado a muchas religiones a expulsar la risa del templo y a estigmatizarla, porque cualquier placer resulta sospechoso a ojos de las religiones.

Más prosaicamente, tras este capítulo, podemos afirmar que tanto el placer sexual como la risa pueden ser desenca-denados y excitados por encargo. No por un acto voluntario –no podemos forzar una risa sincera–, sino por una elección, la de estar disponible para el placer mediante la evocación de pensamientos específicos. Las fantasías eróticas y las cómicas son un medio privilegiado para provocar el efecto esperado. ¿Por qué privarse de ello?

Queda por decir que la fantasía cómica no aparece, hoy por hoy, en ningún diccionario. A continuación proporcionamos una definición sintética: una fantasía cómica es un escenario detallado, imaginado sobre la base de hechos reales, cuyo objetivo es divertir y hacer reír a quien la elabora.

5

La cabeza y el cuerpo

La aproximación entre las fantasías eróticas y los escenarios destinados a hacernos reír no es fortuita. En efecto, la risa y la excitación sexual comparten más de un punto en común. El principal es, sin duda, el mito de la espontaneidad, en el que ciertas reacciones del organismo aparecen espontáneamente y no pueden desencadenarse a voluntad.

El mito de la risa espontánea

Es habitual escuchar que el deseo sexual aparece de manera espontánea, lo cual da una coartada sólida a las personas que no quieren aparearse con su pareja: «Es que no tengo ganas». Esas personas suelen recordar el momento en que estaban locamente enamoradas y tenían ganas de avances amorosos en todo momento, con sólo pensar en la persona amada o tras un simple gesto por parte de ésta. No se dan cuenta de que el deseo había madurado durante cierto tiempo en ellas antes de eclosionar en su consciencia. ¡Cuántas horas de preparación (la ropa interior más bonita, el perfume más delicado, etc.), de anticipación, de imaginación febril sobre lo que pasaría! En realidad, ese deseo se había ido cociendo a fuego lento durante mucho tiempo...

Creer en el deseo espontáneo es como creer en la magia. Estamos sumidos en nuestras ocupaciones, inmersos en la contabilidad, planchando camisas, conduciendo el automóvil, cuando, de repente, el deseo cae sobre nosotros como la flecha de Cupido, salido de ninguna parte: «¡Anda, mira! ¡De repente quiero tema!». El deseo espontáneo me recuerda a la motivación espontánea que esperan muchos estudiantes que van errando, esperando verse repentinamente poseídos por la motivación para abrir los libros y ponerse a estudiar. Como no lo ven venir, se quejan de la falta de motivación y no trabajan en absoluto.

> *Creer en el deseo espontáneo es como creer en la magia.*

Este razonamiento nos conduce a otra versión de los hechos que, sin embargo, ha sido previamente verificado en la realidad: no hace falta estar motivado para ponerse a trabajar, sino que, trabajando, aparece la motivación y crece. El apetito viene comiendo. Del mismo modo que el hambre aparece de manera regular a ciertas horas, porque así hemos acostumbrado al organismo, la motivación para trabajar y el deseo sexual pueden ser modelados.

En lo que concierne al sexo, la evocación de fantasías constituye un excelente modo de dar *el pistoletazo de salida* al deseo. Creando un espacio mental orientado a los placeres de la carne, nutriendo nuestra dimensión erótica, permaneciendo disponibles al deseo, la excitación sexual crece.[23] Y es que la excitación no sólo aparece mediante la estimulación física, las caricias o la contemplación de un cuerpo atractivo, sino, sobre todo, de los estímulos mentales, como la evocación de fantasías o la anticipación de placeres por venir.

Lo mismo se puede decir de la risa. Muchos creen que la risa es una reacción espontánea, una marca de temperamento: unas personas son más dadas a reír que otras, que parecen abocadas a la tristeza desde el nacimiento. Obviamente, los estallidos de risa loca no se provocan a voluntad: lo cierto es que suelen sorprendernos, pillarnos desprevenidos, incluso en los peores momentos. Pero eso no quiere decir que no podamos provocarla. Cuando sabemos que vamos a una cena con amigos, prevemos que vamos a reír… y, en efecto, reímos.

La risa, como el deseo sexual, pueden prepararse y provocarse. Ambos responden bien a la evocación de escenarios imaginarios, hilarantes o eróticos, respectivamente. No se controlan con la voluntad, pero se dejan estimular cuando nos volvemos disponibles.

---

23. Véase, al respecto, el detallado análisis de dos neurocientíficos: Ogi Ogas y Sai Gaddam, *A billion wicked thoughts. What tne internet tells us about sexual relationships*, Plume, 2012.

> *La risa, como el deseo sexual, no se controlan con la voluntad, pero se dejan estimular cuando nos volvemos disponibles.*

El doble sentido

Para muchos, el deseo sexual nace en el cuerpo, por estimulación física (caricias, etc.) y va aumentando hasta que accede a la consciencia. Bueno, es un camino, qué duda cabe. Pero no es menos cierto el camino contrario: leer una obra erótica o ver un vídeo porno tiene todos los números para traducirse en excitación sexual.

El mecanismo funciona en ambos sentidos y forma un bucle que, como un círculo vicioso, aumenta la libido más y más.

Hace mucho tiempo que la psicología ha identificado bucles similares en otros ámbitos, hasta el punto de que se puede hablar de una regla general.[24] Por ejemplo, la alegría se expresa en la cara con la sonrisa; pero sonreír en sí mismo desencadena la alegría y el buen humor, haciendo que cualquier cara resulte alegre.[25] Los enamorados tienden a mirarse largo rato a los ojos, a tocarse y a tomarse de las manos; hacer lo propio con un desconocido puede ser raro, pero si

24. Esther Perel, *Inteligencia erótica*, 2007.
25. Richard Wiseman, *Jetez-vous à l'eau ! Arrêtez de penser à changer votre vie, faites-le*, InterEditions, 2013.

se hace, aumenta la atracción recíproca. Las personas íntimas se mantienen a poca distancia entre ellas; un vendedor que se acerca a nosotros un poco más de lo habitual nos resultará simpático.

Sin duda, la explicación a estos fenómenos debe buscarse en la arquitectura misma del cerebro, constituido por *circuitos* neuronales. Y quien dice circuitos dice bucles, con caminos que regresan al punto de partida. Resumiendo, significa que hay caminos que empiezan en el cuerpo para ir hacia la mente, y otros que comienzan en la mente para influir en el cuerpo.

¡Y la risa es igual! Puede desencadenarse espontáneamente por un pensamiento absurdo o por una situación divertida. Pero también puede ser el resultado de ejercicios físicos particulares, que constituyen lo que se llama yoga de la risa. Según su fundador, el Dr. Madan Kataria, basta con forzarse a reír, mediante una risa artificial y falsa, para acabar riendo a carcajadas. Para lograr este fin, creó muchos ejercicios físicos que intentan poner el cuerpo en movimiento y sacudir el diafragma. Su leitmotiv es: «¡Estimulad, estimulad… y os reiréis de verdad!». Su credo es: reír sin razón. Su intuición se ha revelado correcta a la luz de los conocimientos actuales de la psicología.

Más allá de la ideología

Siguiendo con el pensamiento del Dr. Kataria, que constituye la ortodoxia de los clubes de la risa, las historias divertidas y los chistes absurdos deben descartarse. La risa, cuando aparece, debe provenir del cuerpo y de sus movimientos.

Desde un punto de vista neurológico, es el sistema límbico, o cerebro arcaico, quien debe tomar el control.

Pero ¿por qué encerrarse en semejante dogmatismo? No todos estamos hechos de la misma pasta: unos tienen más facilidad para llegar a la risa a través del cuerpo y otros a través de la mente. Lo mismo que ocurre con la excitación sexual: unos necesitan estimulación física (los hombres parecen responder a simples estímulos visuales), otros a pensamientos eróticos. El neocórtex también tiene algo que decir cuando se trata de desencadenar la risa.

> *No todos estamos hechos de la misma pasta: unos tienen más facilidad para llegar a la risa a través del cuerpo y otros a través de la mente.*

La excitación de la risa por la vía mental puede proceder de dos fuentes distintas: la que denominamos humor, que presenta la ventaja de ser más social, pero peca del riesgo a no ser aceptada o comprendida por ciertas personas, y la otra, que se constituye de fantasías cómicas, escenarios de la imaginación imbricados con recuerdos graciosos, naturalmente personales e intransferibles, pero accesibles a voluntad.

Más que rechazar uno de estos procedimientos, parece más razonable desarrollarlos todos para poder activarlos a voluntad, cuando nos parezca oportuno: reír sin razón moviendo el cuerpo, reírse gracias al humor, reír con fantasías cómicas, como si se tratara de una farmacia que propone diferentes medicamentos para el mismo mal. ¡Cualquier cosa es buena cuando se trata de reír!

6

Hacia el dominio de la mente

Las fantasías cómicas pueden ser activadas a voluntad en nuestra mente. Su efecto desencadenará la risa o, en su defecto, animará nuestro estado de ánimo. ¿Existe un contrapunto para estos escenarios divertidos, como, por ejemplo, pensamientos con el poder de ensombrecer nuestro estado anímico, ponernos tristes, incluso llevarnos al llanto? Dichos pensamientos o imágenes mentales existen, pero a diferencia de las fantasías eróticas y las cómicas, se autoinvitan en nuestra mente, por su cuenta: esas fantasías de tristeza con pensamientos automáticos y obsesivos, que vuelven en bucle a nuestra cabeza, dando la impresión de que no podemos detenerlos.[26]

---

26. Mecanismo denominado retroacción facial.

Las fantasías tristes

Un ejemplo de pensamientos desmoralizantes, automáticos y obsesivos reside en el descubrimiento de la infidelidad amorosa. No es raro que el cornudo o cornuda se obsesione literalmente con el engaño. Su curiosidad mórbida no tiene límites: quiere conocer más y más detalles sobre su rival, cuándo, dónde, cómo, en qué circunstancias, en qué posturas, con qué frecuencia, etc. Ningún detalle sobra, aunque cada información nueva sea una puñalada en el hígado.

Si el infiel intenta callarse algunos detalles precisos, la imaginación del cornudo no tiene límites y rellena los vacíos de información. Y no se priva de recrearse en detalles vergonzosos y humillantes. Porque, en la vida real, no todos los encuentros sexuales nos llevan al séptimo cielo; el cansancio, las preocupaciones o los problemas de salud interfieren en la voluptuosidad. Pero en la mente del cornudo, todas las escenas que imagina son maravillosas, tórridas, como jamás lo fueron con él mismo.

Como en las fantasías, la base real es mínima: tal vez sólo las caras de los protagonistas serán reales. El resto es imaginación enfermiza. Sin embargo, esas secuencias construidas en la mente del despechado adquieren visos de realidad absoluta.

En todo caso, comportan sufrimientos muy reales.[27] Existen muchos otros ejemplos de pensamientos mórbidos obsesivos, pero todos obedecen a la misma lógica: las esce-

---

27. Es el caso de la depresión.

nas traumáticas que nos atormentan (accidentes o agresiones de los que se ha sido testigo o víctima), conflictos violentos en actos o palabras, recuerdos humillantes, abusos de los que se ha sido objeto, etc.

Esos pensamientos automáticos y repetitivos, con escenarios muy trabajados por la imaginación y poco fieles a los hechos acaecidos, siguen las mismas reglas que las construcciones de las fantasías eróticas o las cómicas: ricos en detalles, provocan un efecto seguro en el estado de ánimo y siguen la misma trama narrativa. Se les queda corto el nombre de fantasías tristes, dado su impacto negativo y las lágrimas que pueden desencadenar.

> Las fantasías tristes son, exactamente, lo opuesto a las fantasías cómicas.

¿Y por qué evocar esos pensamientos sombríos, mórbidos, en un libro destinado a hacer reír, que proclama las virtudes de las emociones agradables? ¿Será porque la risa es un antídoto para los pensamientos tristes que nos asedian?

Reírse de los problemas

Si bien las fantasías cómicas y las tristes comparten numerosos puntos en común, se diferencian en una característica esencial: las primeras se recuerdan voluntariamente mientras que las segundas aparecen solas, nos encadenan y nos obsesionan.

Los pensamientos mórbidos tienen el poder de obsesionar porque se nutren en un círculo vicioso: generan mal humor y emociones desagradables como ansiedad, tristeza y cólera, que por sí mismas favorecen la emergencia de pensamientos semejantes a ellas. Cuando estamos tristes, los pensamientos tristes están más disponibles, como si se situaran en primera fila dentro de la mente.

Por suerte, este proceso es reversible gracias a los pensamientos divertidos, que nos permiten recuperar el buen humor: cuanto más reímos, más ideas absurdas y divertidas se nos ocurren. Así que sólo tenemos que hacer el proceso contrario para que el bucle empiece a funcionar. La diferencia es que lo primero nos hace daño y lo segundo nos hace bien.

Ahora bien, hay reacciones que se oponen mutuamente: no se puede estar al mismo tiempo tranquilo y nervioso, de mal y de buen humor. Reír y sufrir son dos cosas incompatibles. Si somos capaces de evocar fantasías cómicas de manera eficaz, cambiaremos el estado de ánimo de un modo voluntario huyendo del círculo vicioso de la ansiedad y la tristeza.

> *Reír y sufrir son dos cosas incompatibles.*

Nos resulta imposible no pensar en nada: para no pensar es necesario pensar, justamente en no pensar nada. Y como muestra un botón: intenta no pensar en una tarta de cumpleaños en el próximo minuto. No pienses en eso bajo ningún concepto. ¿Qué ocurre? No has pensado en un pastel de cumpleaños en los últimos días, ni en las últimas semanas, incluso meses sin pensar en ello y ahora no tienes otra imagen en la mente ¿verdad?

Ésa es la constatación: no se puede no pensar en una cosa, por eso las ideas obsesivas aparecen para quedarse, pero no debemos alimentarlas voluntariamente ofreciéndoles un marco detallado extraído de nuestra imaginación. No debemos transformar una idea en una fantasía triste. Y, sobre todo, si estamos entrenados, podemos transformar una fantasía triste en una cómica.

En el momento en que dispongamos de una biblioteca llena de fantasías divertidas, lo bastante fuertes como para provocar buen humor incluso en un clima de angustia, nos resultará posible activarlas para evitar el descenso a los infiernos que provocan los pensamientos mórbidos.

> *Cuando conseguimos reírnos de nuestros problemas, éstos pierden su intensidad.*

Las fantasías cómicas se revelan más sutiles de lo que parece en un primer momento. De simples desencadenantes de la risa, llegan a convertirse en herramientas que entran en el rango de técnicas psicoterapéuticas, es decir, en antídoto de los pensamientos sombríos que, en ocasiones, se nos imponen.

El pensamiento no es la realidad

Aunque pueda parecer rizar el rizo, es posible, con la práctica, reírse de episodios trágicos y dolorosos. Las personas formadas en risoterapia no son juerguistas. Cuando se conoce la vida de algunas de ellas,[28] encontramos auténticas tragedias: abusos sexuales, carencias afectivas, traumas de todo tipo, etc. El trabajo de sí mismos realizado durante su formación (sobre todo la liberación de emociones rechazadas), con el acompañamiento de psicoterapeutas, les ayuda a dar la vuelta al sufrimiento. Los recuerdos están siempre ahí, qué duda cabe, pero el sufrimiento puede atenuarse, e incluso desaparecer.

Los acontecimientos dolorosos pertenecen al pasado. No se desarrollan en el presente. Lo que sí se desarrolla en el presente son los escenarios que produce nuestra mente. Son los pensamientos los que nos hacen sufrir. Igual que la práctica de las fantasías divertidas nos permite comprender que nuestro pensamiento y nuestra imaginación pueden hacernos reír, también podemos entender que el pensamiento, cuando fluye libre, puede virar hacia la tristeza. En cualquier caso, recordemos siempre que sólo se trata de pensamientos, no de realidades.

> *Son los pensamientos los que nos hacen sufrir.*

Frente a un pensamiento mórbido invasivo, el simple hecho de añadir la frase «Estoy pensando que...» puede marcar la diferencia. No es lo mismo pensar «Soy un inútil» que «Estoy pensando que soy un inútil». En la segunda fór-

---

28. La película de Stanley Kubrick *Eyes Wide Shut* constituye un ejemplo perfecto de los sufrimientos causados por una infidelidad imaginaria.

mula hay una toma de distancia saludable que no existe en la primera, donde el pensamiento se impone como verdad indiscutible. Lo cierto es que un pensamiento siempre es, por definición, discutible.

También es posible que, en el caso del pensamiento obsesivo «Soy un inútil», lo expresemos de manera cómica (recordemos que un pensamiento no es otra cosa que una vocecita interior), con una voz ridícula, por ejemplo, como el pato Donald o como Popeye. Este truco[29] permite relativizar el pensamiento y tomar conciencia de que lo que se nos pasa por la mente no es una realidad.

Trabajar en las fantasías divertidas es una premisa para la toma de conciencia fundamental para el bienestar: podemos utilizar la mente y la imaginación en nuestro favor y no en nuestra contra. ¡Y ya es mucho!

---

29. ¡No nos equivoquemos! Esta estrategia se usa con éxito en psicoterapia. Véase, por ejemplo, Russ Harris, *Le chos de la réalité. Surmonter les* épreuves grâce à la thérapie ACT, Les Éditions de l'Homme, 2014.

Conclusión

Reírse es bueno. Eso es incontestable.

Este libro no ha hecho que te rías mucho. Es lógico. No es un libro de chistes ni de historias cómicas, sino una guía para desarrollar y entrenar tu capacidad para reír. Porque la risa no es tan fácil de provocar, sobre todo en una sociedad donde suele inhibirse.

Además, la risa es un tema muy serio: se oculta mucha psicología detrás de la sonrisa y de la carcajada. Se aprende muchísimo de nuestra psique y de su funcionamiento, de nuestros miedos y nuestras esperanzas. La pregunta esencial que se pone de manifiesto en este libro es: ¿cómo utilizar los recursos de la mente para alimentar el buen humor, en vez de hundir nuestra moral?

Las fantasías divertidas son un medio privilegiado: reír a carcajadas con recuerdos recreados, con todos los detalles para aumentar los aspectos cómicos, reír con los demás y no de ellos.

¿Por qué no te atreves a ir a un club de la risa?

Para profundizar

OBRAS SOBRE LA RISA, EL YOGA DE LA RISA Y LA RISOTERAPIA:

COSSERON, C.: *Remettre du rire dans sa vie. La rigologie, mode d'emploi.* Éditions Robert Laffont, 2009.

COSSERON, C. y Leclerc, L.: *Le yoga du rire.* Éditions Trédaniel, 2011.

MEDJBER-LEIGNEL, M.: *Le rire pour les nuls.* Éditions First, 2013.

RUBINSTEIN, H.: *Psychosomatique du rire. Rire pour guérir.* Éditions Robert Laffont, 2003.

OBRAS SOBRE EL BUEN HUMOR

ANDRÉ, C.: *Vivre heureux: psychologie du bonheur.* Éditions Odile Jacob Poche, 2004.

BEN-SHAHAR, T.: *Practicar la felicidad.* Actual, 2014.

CSIKSZENTMILHAYI, M.: *Fluir, una psicología de la felicidad.* Kairós, 1997.

LYUBOMIRSKY, S.: *Comment être heureux et le rester.* Éditions Marabout, 2013.

THALMANN, Y. A.: *La psychologie positive pour aller bien.* Éditions Odile Jacob, 2011.

OBRAS SOBRE LAS FANTASÍAS Y EL DESEO SEXUAL

CONRAD, S. y Milburn, M.: *Inteligencia sexual.* Planeta divulgación, 2002.

KAHR, B.: *Le livre des fantasmes.* Éditions Grasset, 2008.

PEREL, E.: *Inteligencia erótica,* 2007.

THALMANN, Y. A.: *Le décodeur sexuel.* Éditions First, 2014.

OBRAS SOBRE LA PSICOLOGÍA DEL HUMOR

FREUD, S.: *El chiste y su relaci*ón *con lo inconsciente.* Amorrortu Editores, 2012.

WISEMAN, R.: *Rarología,* 2008.

Índice